ST. GE
JUNIC

## Dominique de Saint Mars

Après des études de sociologie,
elle est, depuis 1981, journaliste
à Astrapi. Elle écrit des histoires
qui donnent la parole aux enfants
et traduisent leurs émotions.
Elle dit en souriant qu'elle a interviewé
au moins 100 000 enfants...
Ses deux fils, Arthur et Henri,
ont été ses premiers inspirateurs !
Prix de la Fondation pour l'Enfance.
Auteur de « On va avoir un bébé »,
« Je grandis » et « Les filles et les garçons »

## Serge Bloch

Cet observateur plein d'humour
et de tendresse est aussi un maître
de la mise en scène.
Il est membre de UBU
Association européenne
pour le dessin d'humour.

## Anne de Chambourcy

Couleurs

# Emilie a déménagé

*Merci à Zoé Brueder,*
*pour sa collaboration.*

*inspiré par Astrapi*

*Ainsi va la vie*

# Emilie a déménagé

## Dominique de Saint Mars
### Serge Bloch

CALLIGRAM

CHRISTIAN ○ GALLIMARD

9

Hep !

Je vous présente Simon ! Tu peux leur montrer leur nouvelle maison ?

Salut!

Salut!

Oui!

Hé ! Tu sais Lili, on a vu les nouveaux voisins, ils sont nuuuuuuls !

Oui, SUPER NULS...!

Il y a une fille de ton âge et un grand frère.

La fille aussi, nulle ?

ARCHIDÉSAGRÉABLE !

Elle a dit qu'elle préférait sa maison d'avant et elle n'a pas trouvé ma chambre bien !

Arrêtez de vous monter la tête, les enfants !

17

J'espère que tout le monde va être gentil avec toi à l'école !

...Car ce n'est pas facile de changer de vie après un déménagement.

Tu es d'accord Lili ?

Moi ?

D'ailleurs... viens nous dire ce que tu sais des vertébrés.

Moi ?

Euh... il y a cinq classes : Euh... les batrachiens, les ramptiles et euh...

La nouvelle voisine, quelle peste !

Qu'est-ce qu'elle t'a fait ?

Je me suis trompée à l'école et elle s'est moquée de moi !

Tu vois maman, on l'avait deviné, avec Simon.

Et il est content, Simon, dans sa nouvelle maison ?

Ah oui ! Et il m'a invité à dormir, le week-end prochain.

Il a de la chance, j'aimerais bien avoir une chambre pour moi tout seul !

DRING !

Excuse-moi. Euh...
je suis la nouvelle
voisine... dans la
même classe que ta
sœur.

Ah oui,
je sais...
entre !

Excusez-moi, madame,
je n'ai pas ma clé.

Tu veux
téléphoner ?
Tu as bien fait
de venir.

C'est juste pour
appeler mes parents
au magasin...on n'est
pas encore très
organisés.

24

Oui, on était à Lyon. On a déménagé parce que papa a trouvé du travail ici.

Et tu es contente ?

Non, pas très... J'avais une très bonne amie, là-bas. Et elle va sûrement m'oublier.

Bon, tu veux faire quelque chose ?

ET LE LENDEMAIN
A L'ECOLE

**29**

32

33

C'est ma meilleure amie, de là où j'habitais avant !

Vanessa, elle est INCROYABLE, elle sait tout faire !

Tu l'aimeras sûrement, elle est tellement drôle !

Bon, il faut que je m'en aille...

On venait voir si on n'avait pas été trop méchantes. Et toi, tu rentrais ?

Euh...non... je vous attendais Clara et Valentine, enfin, je...

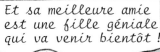

Et sa meilleure amie est une fille géniale qui va venir bientôt !

Ah !

Emilie, j'y pense, Vanessa va venir juste au moment où on repeint !

Et alors !

Alors, ce n'est pas possible, on ne saura pas où la mettre !

Mais maman !

40

# Et toi ?

Est-ce qu'on t'a parlé à l'avance du déménagement ?
Y as-tu participé ? Cela t'a-t-il inquiété ?

Ça a été facile de quitter l'endroit où tu habitais ?
ta chambre ? ta rue ? As-tu des souvenirs ?

Tes amis d'avant te manquent-ils ?
Peux-tu les revoir ? Les invites-tu ?

Est-ce que ça t'a éloigné de personnes de la famille
que tu aimais ? Leur téléphones-tu ?

Au début, as-tu eu peur dans ta nouvelle maison ?
Est-ce que tu t'es organisé facilement ?

As-tu changé d'école ? T'es-tu vite fait des amis ?
Es-tu content d'avoir déménagé ?

Aimerais-tu déménager ?
As-tu eu d'autres grands changements dans ta vie ?

Quand tu arrives dans un nouveau lieu ( vacances,
voyages... ) arrives-tu facilement à t'adapter ?

Des gens que tu aimais ont-ils déménagé ?
Te manquent-ils ? Leur as tu téléphoné ?

Connais-tu tes voisins ? Si tu en as eu des nouveaux,
as-tu été vite leur dire bonjour ?

A l'école, as-tu aidé un nouveau ? Lui as-tu proposé
de jouer avec tes copains ? L'as-tu invité ?

As-tu envie de vivre toujours au même endroit
quand tu seras grand ou voudrais-tu changer ?

**Après avoir réfléchi
à ces questions
sur le déménagement,
tu peux en parler
avec tes parents ou tes amis.**